科学実験対決漫画

実験対決
㊸ 火山の対決

내일은 실험왕 ㊸

Text Copyright © 2018 by Story a.

Illustrations Copyright © 2018 by Hong Jong-Hyun

Japanese translation Copyright © 2022 Asahi Shimbun Publications Inc.

All rights reserved.

Original Korean edition was published by Mirae N Co., Ltd.(I-seum)

Japanese translation rights was arranged with Mirae N Co., Ltd.(I-seum)

through VELDUP CO.,LTD

科学実験対決漫画

実験対決
㊸ 火山の対決

文：ストーリーa.　絵：洪鐘賢

目次

第1話　気分のいい勘違い　8
- 科学ポイント　火山とそれ以外の山の違い
- 理科実験室①　家で実験
  　　　　　　レモン火山作り　32

第2話　招かれざる客の登場　34
- 科学ポイント　噴火を止めた活火山
- 理科実験室②　世の中を変えた写真家
  　　　　　　モーリスとカティア・クラフト夫妻　56
- 博士の実験室1　火山噴火の危険性　57

第3話　セナが言いたかった言葉　58
- 科学ポイント　人工衛星の種類、火山の噴火予測技術、マグマ
- 理科実験室③　生活の中の科学　火山噴火時の対処の仕方　82

第4話　最後のバスケ対決　84
- 科学ポイント　イタリアの有名な火山、日本の有名な火山
- 理科実験室④　理科室で実験
  　　　　　　密度の違いを利用したマグマの実験　108

第5話　火山のように爆発した本心　110

科学ポイント　地震の種類、火山の種類

理科実験室⑤　対決の中の実験　ステアリン酸の結晶実験　132

博士の実験室2　火山がもたらした贈り物　135

第6話　ずっと待ち望んだ対決　136

科学ポイント　火山噴出物、マグマがもたらす恵み

理科実験室⑥　実験対決豆知識

　　　　　　　火山噴出物、日本の火山地形　162

登場人物

セナ

所属：ドイツ代表実験クラブ。

観察内容・後先考えずに自分の感情や考えを口に出してしまう、まるで激しく噴火する活火山のような少女。
・ベスト16の対決相手になったウォンソを見ると、地中深い場所でマグマがグツグツ煮えたぎるような複雑な気持ちになる。

観察結果：勝利に対する執着心が強く、かつて、あかつき小の実験クラブに対してずるい方法を使ってでも勝とうとしたことがあったが、今は正々堂々と実力で勝負したいと思っている。

マックス

所属：ドイツ代表実験クラブ。

観察内容・噴火口で噴き上がる溶岩のように、人前で自分の感情を表現できる真っ直ぐな少年。
・ウォンソと2人きりで話をしているセナの姿を目撃してから、心の中で冷たい風がビュービュー吹いている。

観察結果：普段、実験結果や対決相手のチームに無関心な態度を示してきたのは、本当に関心を持っている相手が別にいたから。

ウォンソ

所属：韓国代表実験クラブBチーム。

観察内容・答える価値がないと判断した質問には容赦なく沈黙を貫き通す、氷のようにクールな少年。
・ベスト16の対決相手が決まった瞬間も噴火を止めた活火山のように落ち着きを保っている。

観察結果：普段は常に無表情だが、ごくまれに付き合いの長い友達の前で明るく笑うギャップが魅力。

ウジュ

所属：韓国代表実験クラブBチーム。
観察内容・ついにラニが自分のことを好きになったとひとりで勘違いしている少年。
・恋の勝負に破れたウォンソはもはや自分のライバルじゃないと、ウォンソに対して急に不自然なほど優しくなる。
観察結果：ドローンに記録された映像で優勝特別賞の内容がわかったのは、すべて自分のおかげだと鼻高々。自分が優勝したらと想像し、甘い夢を見る。

ラニ

所属：韓国代表実験クラブBチーム。
観察内容・周囲を巻きこむリーダーシップがある少女。
・感受性が豊かで、友達の気持ちを思いやることができる。愛と正義を大事にしている。
観察結果：好きな人に自分の気持ちを素直に伝える友達の姿を見て、とても感動する。

その他の登場人物

❶ 誰にも歓迎されないホン。
❷ 海外合宿を口実にウジュに会いに来たチョロン。
❸ 目の前にあらわれたチョロンを見て驚くジマン。

第1話 気分のいい勘違い

実験 レモン火山作り

地中の深くには岩石が溶けてできた高温のマグマがあります。マグマが地下から上昇すると急激に冷やされ、マグマに溶けこんでいた火山ガスが泡になります。泡を含んだマグマはさらに軽くなって上昇し、地上に噴き出します（噴火）。このように噴火によってできた地形を「火山」といいます。レモンと重曹を用いた簡単な実験を通して、火山について理解しましょう。

準備する物 レモン、食器用洗剤、重曹、ナイフ、スプーン、お盆、器、ビニール手袋

① ナイフでレモンの両端を平行に切ります。

② スプーンでレモンの片方の中身を半分くらいすくい出して空間を作ります。

③ お盆の上にレモンを置き、ビニール手袋をして集めておいたレモンをしぼり、汁を入れます。

④ 食器用洗剤と重曹をスプーン1杯ずつ入れてよくかき混ぜます。

❺ 数秒後、まるで噴火口から噴出するマグマのように、レモンの外に泡があふれ出ます。実験❸の過程で赤色の食用色素を入れて混ぜれば赤い泡が出てよりリアルな火山を作ることができます。

どうしてそうなるの？

　レモンの中からあふれ出た泡はどうやって作られたのでしょうか？　炭酸水素ナトリウムである重曹とクエン酸が入っているレモン汁が混ざると＊中和反応が起き、二酸化炭素が作られます。こうやってできた二酸化炭素が食器用洗剤と混ざると二酸化炭素を含んだ泡ができます。この泡がレモンの外にあふれ出たのです。火山の噴火の様子はマグマの粘り気の強さによって異なります。この実験はマグマの粘り気が弱いタイプの火山をあらわしています。

マグマの粘り気が弱い火山
噴火が静かに起き、溶岩がドクドクと流れ出る。

マグマの粘り気が強い火山
大きな爆発とともに溶岩、火山灰、火山ガスなどが噴き出す。

＊中和反応　酸と塩基が反応して水と塩ができる反応。

第2話 招かれざる客の登場

実験練習室

モゾ
モゾ

みんな！

分裂するよ。
早く見て！
今よ、今！

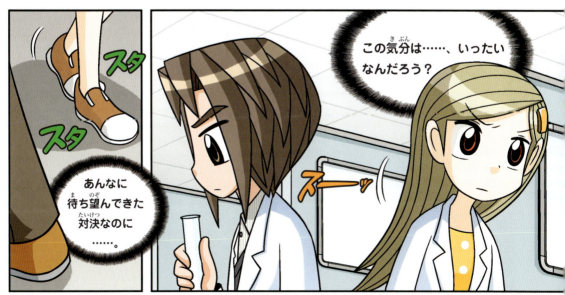

実験対決 理科実験室❷ 世の中を変えた写真家

モーリスとカティア・クラフト夫妻（Maurice and Katia Krafft）

モーリスとカティア・クラフト夫妻は、火山の写真や映像記録のパイオニアとして有名なフランスの火山学者です。大学で地質学を勉強しているときに出会ったクラフト夫妻は、旅行中に偶然撮った火山噴火の写真をきっかけに、世界のさまざまな国をめぐりながら写真と映像で火山を記録することになりました。そうして集めた資料をもとに1968年に火山の噴出現象を専門的に研究する火山学センターを設立し、その後23年間で100以上の火山を調査し20冊あまりの本と5本の映画を作りました。しかし1991年、クラフト夫妻は日本の雲仙・普賢岳の噴火を調査中に＊火砕流に巻き込まれて命を失ってしまいました。この雲仙・普賢岳の火砕流によって命を失った人はクラフト夫妻をはじめ、警察、消防官、住民、取材陣など、計43人に上りました。クラフト夫妻が生前に危険を冒して撮影した資料は今日も火山学でその希少性が高く評価されています。

モーリスとカティア・クラフト夫妻

雲仙・普賢岳噴火の痕跡 大火砕流から約3年後の様子。火山の噴出物が通った跡が見える。

火山学者とは？

地質学の一分野である火山学を研究する科学者を火山学者といいます。彼らは火山活動を観察して記録し、地球内部のマグマの発生や火山の噴火を予測します。そして火山によって発生しうる災害を防止したり、被害を減らしたりするための方法も研究するのです。火山学者は既存の資料を分析することもありますが、現在活動中の火山を直接訪ね調査を行うこともあります。そのときは800℃から1200℃に上るほど高温のこともある溶岩の温度を測ったり、火山の近くで火山灰や溶岩などを採取しなければなりません。火山学者のこのような活動は、火山噴火を正確に予測して多くの命を守るのに貢献しています。

噴火孔を調査する研究者ら

＊火砕流 火山から噴出した火山灰、火山ガス、岩石などが高速で山の斜面を流れ下る現象のこと。

セナが言いたかった言葉

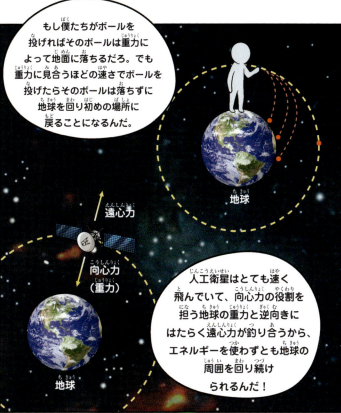

実験対決　理科実験室❸　生活の中の科学

火山噴火時の対処の仕方

　火山が噴火すると溶岩によって建物が燃えたり、山火事が発生したりすることがあります。そして、火山灰や火山ガスによって空気や水が汚染され、火山の噴火によって発生した噴煙のせいで飛行機の運航にも支障が生じるのです。では、火山災害のとき、どう対処すればいいのでしょうか？　火山噴火時の対処の仕方を一緒に見ていきましょう。

必需品の準備
火山灰などの異物が鼻や口、目の中に入らないように防いでくれる防塵マスクやゴーグル、懐中電灯、非常食、救急薬などを準備する。

扉や窓のすき間、換気口をふさぐ
火山灰や火山ガスが家の中に入らないよう、粘着テープや水に濡らしたタオルなどを利用して、扉や窓のすき間、換気口をふさぐ。

避難情報に従う
室内でテレビやラジオ、インターネットなどの情報を確認して、避難指示に従う。屋外にいる場合は、車や近所の建物の中に避難する。

高い場所に避難する
火山の噴火によって有毒ガスが空気中に広がるおそれがあるときは、防塵マスクや濡れたタオルで鼻や口をふさいで高い場所に避難する。

火災に備える
火山の噴火によって火災が発生する場合に備えて、家のガスの元栓を閉めて電気器具のプラグをコンセントから全部抜いておく。

「電気製品を使用する前に火山灰が入っていないか、しっかり確認！」

火山灰を掃除する
火山の噴火が収まったら、防塵マスクやゴーグルを着用した状態で掃除機や濡れた雑巾などを利用して火山灰を掃除する。

火山噴火の活動の監視

　火山の噴火活動を監視する方法には、過去の火山噴火の記録を分析する方法や、人工衛星で収集した映像資料を通じて火山周辺の変化を観測する方法、GPS、空振観測、地熱・放射能・火山ガスの測定など、いろいろな施設やデータを利用して監視する方法などがあります。火山灰の影響で航空機がエンジン故障などのトラブルにあうことを防ぐのが目的で設立された航空路火山灰情報センター（VAAC）では世界中の9カ所のセンターにおいて、24時間態勢で火山灰の移動や拡散などのデータを観測し、情報を各国に提供しています。日本では東京に航空路火山灰情報センターがあり、担当する区域を監視しています。

VAAC Map of Areas of Responsibility 2017 ⓒICAO

航空路火山灰情報センター（VAAC）の9カ所のセンターが担当する区域。

最後の バスケ対決

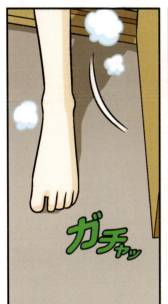

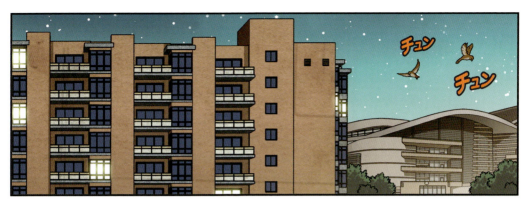

僕の人工衛星だぞ。さ、触るな！

人工衛星……。

今年の優勝特別賞！

実験対決　理科実験室❹　理科室で実験

密度の違いを利用したマグマの実験

実験報告書

実験テーマ	炭酸水素ナトリウムとクエン酸を利用した実験を通じてマグマについて調べましょう。
準備する物	❶試験管立て　❷炭酸水素ナトリウム　❸クエン酸　❹水　❺食用油　❻ビーカー2個　❼食用色素（赤色）　❽試験管　❾ピペット　❿計量スプーン　⓫ガラス棒2本 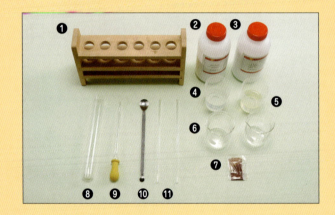
実験予想	炭酸水素ナトリウム溶液とクエン酸溶液が混ざると赤い水玉が生じるでしょう。
注意事項	❶ 実験の薬品が皮膚に触れたり目に入らないように注意し、万が一実験の薬品が皮膚に触れたり目に入った場合は、すぐにキレイな水で洗い流します。 ❷ 食用色素が皮膚や服に着いたときは酢を少し混ぜた水や食器用洗剤を利用して拭きます。

実験方法

❶ ビーカーに炭酸ナトリウムをスプーン2杯、食用色素スプーン1杯、水20mLを入れてガラス棒でよくかき混ぜて溶かします。

❷ また、別のビーカーにクエン酸をスプーン6杯分と水40mLを入れて、クエン酸が完全に溶けるまでガラス棒でよくかき混ぜます。

❸ 試験管立てに試験管を挿して試験管内に❶の溶液を入れます。そして、その上に食用油30mLをゆっくり注ぎます。

❹ ピペットを利用して試験管内に❷の溶液を垂らしながら起きる変化をよく観察します。

実験結果

試験管内に❷の溶液を垂らすと赤色の水玉がまるでマグマのようにブクブクと上がってから再び下りていきます。

どうしてそうなるの？

赤い水玉が上がってから再び下りて行く理由は、密度の差があるからです。赤い水玉は炭酸水素ナトリウムとクエン酸の中和反応で生じた二酸化炭素によってできました。水玉が二酸化炭素を含んでいるときは密度が小さくて食用油の中を上がっていきます。そして、二酸化炭素が抜けると食用油より密度が大きくなり、再び下りていきます。同じように、地中のマグマも周辺の物質より密度が小さいので地表に向かって上昇します。

第5話

火山のように爆発した本心

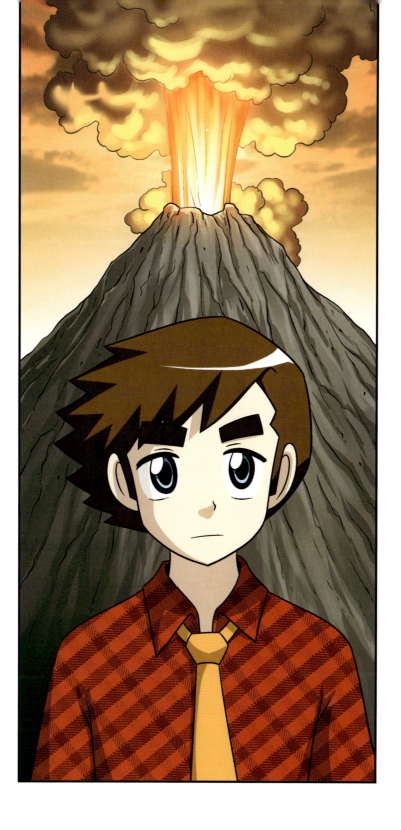

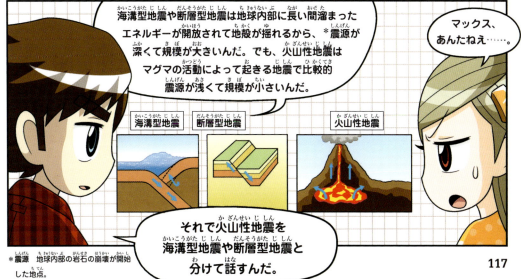

実験1

1番目の実験は、粘り気が弱い溶岩が速いスピードで遠くまで流れ出てゆるやかな傾斜を成す楯状火山。

・楯状火山
韓国の漢拏山
ハワイのマウナロア山

実験2

2番目の実験は成層火山。粘り気が中くらいの溶岩や火山灰、岩石などが積もってできた円錐形の火山だ。

・成層火山
日本の富士山
イタリアのエトナ火山

最初からマグマの粘り気を変えて実験したんだよ。水分を調節してマグマの粘り気を弱・中・強にして作った後、3種類の形の火山になるように……。

実験3

3番目の実験は、粘り気が強い溶岩が流れ出せずに噴火口の上に噴き上げてドーム状に固まった溶岩ドーム！ 日本なら雲仙普賢岳がこの種類。

・溶岩ドーム
韓国の山房山
韓国の鬱陵島

パク
パク

そ、そ、そうね、あなたの言う通りだわ。

やっと見えたんだね。

「まあ、マックス。セナがわざと間違いを犯したんじゃないし。」

「間違い？私が間違えたって？あんたも私がチームの情報を垂れ流したと思ってんの？」

「アッ、熱い！」

「セナ、理解してあげて。マックスはきっと次の対決の緊張からそう言ってるのよ。」

「緊張は勝ちたい人がするんだ。僕は対決なんかに興味はないよ。正直に言うと、早く家に帰りたいんだ。」

「えっ!?」

「マックス・バウア！」

実験対決　理科実験室❺　対決の中の実験

ステアリン酸の結晶実験

実験報告書

実験テーマ
ステアリン酸の結晶が作られる過程をよく見て、マグマが冷めて岩石になる過程について調べてみましょう。

準備する物
❶水槽2個　❷ステアリン酸　❸ビーカー1個
❹シャーレ2個　❺拡大鏡　❻ライター
❼試験管ばさみ　❽試験管1本　❾黒色の紙　❿手袋
⓫計量スプーン　⓬アルコールランプ　⓭三脚台

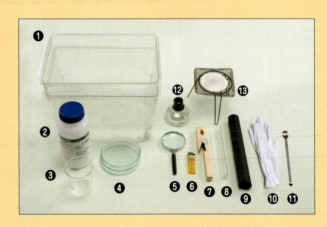

実験予想
冷却温度によって形が異なるステアリン酸の結晶ができるでしょう。

注意事項
❶ アルコールランプを使うとき、火傷をしたり火災が起きたりしないよう注意しましょう。
❷ ステアリン酸が皮膚に触れたり目に入らないよう注意し、万が一ステアリン酸が皮膚に触れたり目に入った場合はキレイな水で十分に洗い流してください。

実験方法

❶ 手袋を着け、試験管にステアリン酸を3分の1程度入れます。

❷ 試験管を水が入ったビーカーに入れ、アルコールランプで加熱してステアリン酸を溶かします。

❸ お湯が入った水槽と氷水が入った水槽を用意し、その中にそれぞれシャーレを1つずつ浮かべます。

❹ 溶けたステアリン酸をお湯の上に浮かべたシャーレと氷水の上に浮かべたシャーレに分けて注ぎます。

❺ ステアリン酸が固まれば、黒色の紙にシャーレを乗せます。拡大鏡を利用してステアリン酸の結晶を観察します。

実験対決　理科実験室❺　対決の中の実験

実験結果　お湯の上でゆっくり冷まされたステアリン酸は大きな結晶ができますが、氷水の上で冷まされたステアリン酸は小さな結晶になります。

お湯

氷水

どうしてそうなるの？

　固体の状態の物質を溶かして溶液を作った後、その溶液を冷却してできた特別な形の個体を結晶といいます。冷却速度が遅いと結晶のサイズが大きく、冷却速度が速いと結晶のサイズは小さくなります。そのため、お湯の上でゆっくり冷まされてできたステアリン酸の結晶はサイズが大きく、氷水の上で冷まされてできたステアリン酸の結晶はサイズが小さいのです。この実験を通じて火成岩の生成原理を理解することができます。火成岩はマグマが冷却されてできた岩石で、大きく深成岩と火山岩に分けることができます。深成岩は地中深くにあるマグマがゆっくり冷めてできた岩石で、お湯の上でゆっくり冷まされたステアリン酸の結晶のようにサイズが大きい結晶ができます。一方、火山岩は地上に噴き出したマグマが急速に冷めてできた岩石で、氷水の上で冷まされたステアリン酸の結晶のようにサイズが小さい結晶ができます。つまり、マグマは溶けたステアリン酸で、深成岩はお湯の上でゆっくり冷まされたステアリン酸の結晶、火山岩は氷水の上で冷まされたステアリン酸の結晶に例えて、説明することができます。

深成岩
- 生成場所：地下深い場所
- 冷却速度：ゆっくり
- 結晶のサイズ：大きい
- 種類：花崗岩、斑レイ岩など

ⓒShutterstock

火山岩
- 生成場所：地表付近
- 冷却速度：速い
- 結晶のサイズ：小さい
- 種類：玄武岩、流紋岩など

ずっと待ち望んだ対決

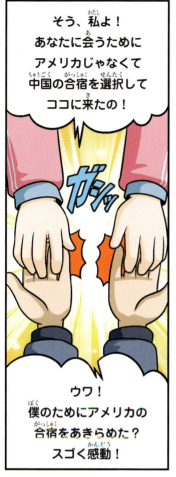

実験対決　理科実験室❻　実験対決豆知識

火山噴出物

　地中深い場所で岩石が溶けてできたマグマが地表付近で起こすさまざまな作用を火山活動といいます。火山活動が起きるときは火山の噴火口からいろいろな物質が噴き出されますが、このような物質を火山噴出物といいます。火山噴出物にはどのようなものがあるか、一緒に見ていきましょう。

固体状態の火山噴出物
火山砕屑物
火山噴出物の中で固体状態の物質を火山砕屑物という。火山噴火時、溶岩より多くの被害を及ぼし、大きさや形によって火山塵、火山灰、噴石、火山弾などがある。

気体状態の火山噴出物
火山ガス
ほとんどが水蒸気で構成されていて、二酸化炭素、二酸化硫黄、水素、硫化水素などが含まれている。

液体・固体状態の火山噴出物
溶岩
噴火口から噴出した液体のマグマと、それが固まってできた岩石のことで、約800℃から1200℃に上るほど高温のこともある。

日本の火山地形

　火山活動によってできた地形を火山地形といいます。マグマの通り道が陥没してできたカルデラや火山活動によって作られる火山島など、さまざまな種類があります。日本にも多くの火山地形があります。どのようなものがあるか、一緒に見てみましょう。

阿蘇山

　世界最大級のカルデラをもつ熊本県の活火山です。広大なカルデラは約27万年前から9万年前に起きた4回の大規模な火砕流の噴出によって形成されました。周囲には火砕流堆積物で構成される火砕流台地が広がり、一帯はユネスコ世界ジオパークに認定されています。

阿蘇山のカルデラ　面積約350平方キロメートル。中には、多くの農地や住宅地がある。

西之島

　西之島は小笠原諸島にある無人の火山島です。1973年に有史以来初めて噴火し、西之島新島が誕生。その後、旧島とつながりました。2013年には40年ぶりに噴火を再開し、陸地面積が拡大しました。主に島を構成するのは、粘り気の強いマグマからできる安山岩です。

西之島の全景　島では、海鳥や昆虫などが確認されたことがある。

雲仙岳

　長崎県の活火山で、裾野まで含めると南北25キロメートルにわたる多くの山々から構成されています。なかでも普賢岳では1991年に大規模な火砕流が発生、43名の死者・行方不明者を出す大災害が起こりました。同年出現した溶岩ドームは、平成新山と呼ばれています。

雲仙岳の溶岩ドーム　91年以降、複数の溶岩ドームが誕生。崩落の危険性が指摘されるものもある。

日本語版編集協力　東京大学サイエンスコミュニケーションサークルCAST

㊸ 火山の対決

2022年11月30日　第1刷発行

著　者　文　ストーリーa.／絵　洪鐘賢
発行者　片桐圭子
発行所　朝日新聞出版
　　　　〒104-8011
　　　　東京都中央区築地5-3-2
　　　　編集　生活・文化編集部
　　　　電話　03-5541-8833（編集）
　　　　　　　03-5540-7793（販売）

印刷所　株式会社リーブルテック
ISBN978-4-02-332208-0
定価はカバーに表示してあります

落丁・乱丁の場合は弊社業務部（03-5540-7800）へ
ご連絡ください。送料弊社負担にてお取り替えいたします。

Translation：HANA Press Inc.
Japanese Edition Producer：Satoshi Ikeda
Special Thanks：Kim Da-Eun / Lee Ah-Ram
　　　　　　　　（Mirae N Co.,Ltd.）